인간 vs AI
창작시

인간 vs AI 창작시

발　행 | 2023년 12월 29일
저　자 | 이정섭
펴낸이 | 한건희
펴낸곳 | 주식회사 부크크
출판사등록 | 2014.07.15.(제2014-16호)
주　소 | 서울특별시 금천구 가산디지털1로 119 SK트윈타워 A동 305호
전　화 | 1670-8316
이메일 | info@bookk.co.kr

ISBN | 979-11-410-6291-0

인간 vs AI 창작시

CONTENT

머리말   5

1반   7

2반   19

3반   31

4반   43

"AI와 인간이 만든 시의 대결: 창조의 새로운 지평선을 향하여"

 안녕하세요, 이 책을 손에 들고 계신 여러분. 저는 이 수업 프로젝트의 지도교사인 이정섭입니다.

 이 책은 인간과 인공지능이 같은 주제로 시를 창작해 서로 대결한 결과물들을 모아놓은 것입니다. 우리의 일상 생활에서 점점 더 중요한 역할을 차지하고 있는 AI, 그리고 그것이 우리 인간의 창조성에 어떤 영향을 끼치는지를 살펴보기 위한 수업 실험의 결과물이라고 할 수 있습니다.

 이 수업 프로젝트를 통해, 우리는 AI가 인간의 창조적인 영역에도 뛰어들 수 있음을 확인하게 되었습니다. 그러나 그 과정에서 반드시 인간의 창조성이 뒤처지는 것은 아니었습니다. 인간의 감성과 통찰력, 그리고 그것들이 조화를 이루어 창작하는 과정은 여전히 우리에게 많은 가치를 주고 있습니다.

 그럼에도 불구하고, AI가 창작의 과정에 참여함으로써 우리는 새로운 시각과 접근법을 얻을 수 있었습니다. AI의 창작물들은 우리에게 새로운 영감을 주고, 그것을 통해 우리의 창조적 힘을 한층 더 확장시킬 수 있었습니다.

이 책을 통해, 여러분은 인간과 AI가 어떻게 서로를 도전하며, 서로로부터 배우며, 그 과정에서 어떤 창조적인 결과물들을 만들었는지 확인할 수 있을 것입니다.

이 책이 인간과 AI, 그리고 그들 사이의 창조적인 대화를 통해 새로운 가치를 창출하는 데 조금이라도 도움이 되길 바랍니다.

감사합니다.

- 이 서문은 AI를 활용해 작성했습니다. -

1반

이렇게 적으십시오 Human

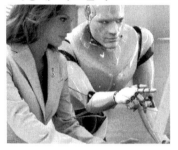

주제 화자의 외로움과 위로 받고
싶은 바람

특징
1. 원경에서 근경으로
2. 상징 사용
3. 시어 또는 문장의 반복

AI 창작시

위로를 향한 여정

외로움에 가득한 한적한 풍경에서
나는 안도와 위로를 간절히 소망했다.

차가운 바람이 나를 감싸며
나무들은 그늘을 내어주었다.
하늘은 빛나는 구름을 품고 있고
작은 별들이 위로의 노래를 속삭였다.

나는 그 소리에 마음을 담아
외로움을 극복하기로 다짐했다.
따뜻한 위로가 내 안을 채우며
나는 앞으로 나아갈 용기를 얻었다.

나의 곁에는 언제나 위로가 함께하며
위로의 여정을 계속될 것이라고 믿었다.
그래서 나는 희망의 길을 따라서
외로움을 뛰어 넘어가기로 했다.

인류의 희망 휴먼

주제 화자의 외로움과 위로 받고
싶은 바람

특징 1. 원경에서 근경으로
2. 상징 사용
3. 시어 또는 문장의 반복

학생 창작시

강유정

내가 그리워하는 한 동네가 있습니다.

나의 외로움을 두고 온 동네

그 집에는 내 전부를 나눠가진 한 임이 있습니다.

내 모든 것을 다 받아줄 임아, 나와 평생 함께하자고 한

임아

어찌 가을 낙엽 떨어지듯이 사라지는가

아아, 누구 하나 한 마디 건네주지 않는지,

이 마음 쓸쓸한 등불 앞에 벽에 기대어 본다.

이렇게 적으십시오 Human

주제 임에 대한 영원한 사랑의 맹세

특징
1. 가정의 형식 활용
2. 대비되는 색채 그리고 촉각이미지 시어 사용
3. 구어체 / 경어체 문장 종결

AI 창작시

영원

영원한 사랑의 아름다움을 상상해봐
푸른 바다에서 춤추며 느끼는
아마도 우리 사랑은 영원할까?

고요한 밤, 달빛에 우리를 감싸안고
열정이 터져나와 불꽃처럼
아마도 이 사랑은 영원할 지 몰라

태양 아래, 햇살이 희망으로 가득해
노란 꽃잎이 따뜻함을 전해주며
아마도 이 순간이 영원일지도 몰라.

인류의 희망 휴먼

주제 임에 대한 영원한 사랑의 맹세

특징
1. 가정의 형식 활용
2. 대비되는 색체 그리고
   촉각이미지 시어 사용
3. 구어체 / 경어체 문장 종결.

학생 창작시

그녀

오랫동안 기다려온 따뜻하던 그녀
내 마음을 어떻게 전해야 할까요

내 마음을 전하기 위한 방법은
그녀를 사랑하는 것 뿐입니다.

나에게 다가온 아름다운 그녀
더 잘해주고 싶은 마음뿐입니다.

이렇게 적으십시오 Human

주제 임에 대한 그리움과 재회에 대한 소망

특징
1. 시각과 청각적 이미지
2. 동일한 구문을 변형 사용
3. 3음보 사용

AI 창작시

재회 소리

비 바람 속 흩날리는 꿈
임에 대한 그리움에 눈을 뜬다.
잊고 싶어도 잊을 수 없어

별이 떠오르는 어둠의 밤에
임에 대한 그리움 속 묻은 채
희망의 불씨를 가슴에 비추네

먼 곳에서 들려오는 그리움의 소리
서로 멀어져 가는 발걸음이지만
느껴지는 재회의 희망 소리

달이 떠오르는 어둠의 밤에
희망의 달빛 가슴에 물들어
재회의 소망이 넘쳐 흐르네

평화로운 세월이 흐르는 동안
소중한 재회 꿈꾸며 늘 당신이 그리워
희망의 꽃을 피우는 길 위에서
영원히 울려 퍼질 우리의 사랑 소리

인류의 희망 휴먼

주제	임에 대한 그리움과 재회에 대한 소망
특징	1. 시각과 청각적 이미지 2. 동일한 구문을 변형 사용 3. 3음보 사용

학생 창작시

그리운 "임"

비가 내리던 어느날
우산 속에 너와 있던 어느날
집에 들어가는 뒷모습이 잊히지 않아

나에게 남아있는 것은 아련한 빗소리뿐
어찌하여 나를 버리고 가는가

다음 생에 "임"의 앵무새로 태어나
너의 조그만한 그림자 밟고 싶다.
당신의 따스한 사랑 받고 싶어

이렇게 적으십시오 Human

주제 외로움과 그리움

특징
1. 고전설화 내용 차용
2. 불가능한 상황 설정
3. 의문문과 영탄적 표현으로 정서 강조

나무꾼의 외로움

황금빛 햇살 비추는 숲속 나무꾼은
선녀 그리움에 휩싸여 외로움에 잠겼네
시간을 되돌린다면 얼마나 좋을까
선녀와 함께였던 그 순간으로

과거의 추억이 흐릿한 미소로 떠오르면
그리움은 더욱 깊어져 선녀를 그리네
하늘의 별들은 그리움을 알고
나무들은 나무꾼의 외로움을 함께 했네

아아, 시간을 되돌려 선녀와의 만날으로
나무꾼은 그리움 속에 서있을 것이네

인류의 희망 휴먼

주제 외로움과 그리움

특징
1. 고전설화 내용 차용
2. 불가능한 상황 설정
3. 의문문과 영탄적 표현으로
   정서 강조

학생 창작시

그림

정아
정아
그림 안에 너는 여전하구나

정아
정아
그림 밖으로 나와 나와 함께 즐거운 춤을 추자

꽃에서 태어난 너는
다시 꽃으로 돌아갔느냐

정아
정아
아직도 너를 그린다.

이렇게 적으십시오 Human

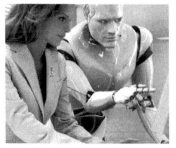

주제 가족이나 혈육의 정

특징
1. 경어체 사용
2. 각 연을 점층적으로 구성
3. 촉각적 이미지

추억의 잔향

가족이라는 단어 하나로 아련한 감정이
내 가슴에 서려 있네요
가끔씩 눈을 감고
그날의 풍경을 상상하면
당신과 함께한
시간들이 아련하게 스쳐지나갑니다.

예쁜 노래로 이야기를 나누고 이야기로 아픔을 나누며
나눔으로 가슴속에 차가운 상처를 헤치우곤 합니다

젊음의 꽃이 고개를 숙입니다.
꽃이 시들어 갑니다
희미한 향기만 남았습니다.
잔향만이 은은한 자리에서 불러봅니다.
어머니!

인류의 희망 휴먼

주제 가족이나 혈육의 정

특징 1. 경어체 사용
2. 각 연을 점층적으로 구성
3. 촉각적 이미지

학생 창작시

사랑

봄이 찾아와 꽃들이 피어나듯이,
가족의 유대는 더욱 강해지고 빛난다.
첫해에는 서툴고 어색한 대화들이,
서로에게 희망의 씨앗을 심어준다.

둘째 해로 향하는 길에는 서로를 이해하며
경어체로 대화를 나누면서도 마음은 가까워진다.
마치 솜사탕처럼 부드러운 대화로,
우리는 서로의 곁에서 따뜻함을 나눈다.

셋째 해에는 마음이 더욱 굳어지고,
서로에게 신뢰와 힘을 준다.
촉각적 이미지로 담긴 대화는 마치
잎사귀가 나뭇가지를 감싸는 듯한 애틋함을 전한다.

넷째 해에는 우리 가족은 서로를 의지하며
마음의 소용돌이 속에 풍요로움을 찾는다.

2반

2반

이렇게 적으십시오 Human

주제 죽은 누이를 그리워 함

특징
1. 산문시
2. 의문문과 영탄적 표현으로 정서 강조
3. 원경에서 근경으로 화자의 시선 이동

AI 창작시

잊을 수 없는 그리움

어디에 있을까 죽은 누이는? 영원한 잠에서 깨어날까? 그리움은 여전히 깊어지고, 세상이 끝날 때까지 끝나지 않을까? 멀리서 바라본 그녀는 먼 곳에서 온 듯, 하얀 드레스를 입고, 미소를 띄우며 서 있다, 그러나 가까이 다가가면 그녀는 먼지가 쌓인 사진 속에 있는 것처럼 보인다. 그녀와 함께한 추억은 아름답다. 그리고 그녀의 떠남은 아픔이다. 하지만 그녀가 행복하길 바란다. 그녀가 어디에 있든, 그녀의 기억은 영원히 살아남을 것이다, 죽은 누이를 그리워하면서, 나는 그녀의 미소를 떠올린다. 그리고 그녀의 향기와 목소리를 기억하며, 언제나 그녀를 사랑할 것이다.

인류의 희망 휴먼

주제   죽은 누이를 그리워 함

특징
1. 산문시
2. 의문문과 영탄적 표현으로
   정서 강조
3. 원경에서 근경으로 화자의
   시선 이동

학생 창작시

고향집

외딴 시골에 왔습니다 풀 벌레 소리 가득한 숲을 지나
고향집에 왔습니다. 창가에 기대어 구름에 가려진
산봉우리를 바라보니 떠오르는 것들, 할아버지와 냇가에서
수박을 먹던 일, 조금은 귀찮았던 제초, 벌이 무서워
할아버지께 달려갔던 일, 이제는 구름 위에 계신
할아버지와의 추억들입니다. 시선을 옮기니 할아버지께서
즐겨 쓰시던 밀짚모자가 눈에 들어옵니다.
사무치는 그리움에 눈물이 흐릅니다.
아아, 할아버지! 할아버지도 그곳에서 저를 생각하고
계신가요?

이렇게 적으십시오 Human

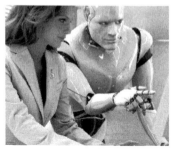

주제 임에 대한 영원한 사랑의 맹세

특징
1. 구어체/경어체로 문장 종결
2. 3음보 사용
3. 대비되는 색체 & 촉각
   이미지 시어 사용

AI 창작시

영원한 약속

저녁 노을이 잠든 시간
서로의 마음의 속삭입니다

은하수 별빛에 감싸여
새로운 약속을 새깁니다

서로의 손을 잡고 눈을 감으면
그대가 눈 앞에서 아른거립니다

내 차가운 마음을
따뜻하게 만들던 당신
당신의 마음에 전합니다

은하수 별빛이 사라져도
저녁 노을이 사라져도

제가 당신 마음에
노을이자 은하수가 되겠습니다.

인류의 희망 휴먼

주제　임에 대한 영원한 사랑의 맹세

특징
1. 구어체/경어체로 문장 종결
2. 3음보 사용
3. 대비되는 색체 & 촉각
   이미지 시어 사용

학생 창작시

부재

임은 대체 뭐하고 계신가요
임 그리워 하루하루 밤 새우다
의미 없게 하루하루 넘깁니다.

임은 대체 어디에 계신가요
임 찾으러 내디던 헛된 걸음
오늘도 다시 한번 찾습니다

임은 대체 언제쯤 오시나요
임 떠난 차갑던 그날을
뜨거울 그 날 위해 기다립니다.

이렇게 적으십시오 Human

주제 임에 대한 그리움과 재회에 대한 소망

특징
1. 시각과 청강적 이미지 사용
2. 각 연을 점층적으로 배열
3. 시어 또는 문장의 반복

AI 창작시

잊지 못할 재회의 노래

서로를 잊지 못하는 그리움이
마음을 감싸고 노래한다
떠나간 그대와의 재회를 소망하며

멀리서 조금씩 울려퍼지는 흐릿한 그대의 목소리
내 귀에 점점 울려퍼져 흐르는 재회의 노랫소리
얼마나 오랫동안 그대를 기다렸던지 몰라

작은 가슴에 핀 작은 바람의 꽃
찬란한 꽃잎에 담긴 재회의 미소
이제는 다시 함께할 수 있을까

저 푸르른 하늘을 향해 두 손을 뻗어보면
그대가 그곳에 서 있는 듯한 뚜렷해지는 상상이
가슴이 재회로 가득차 떨리네

시간이 폭포가이 흘러도 재회의 소망은
결고 떠밀려 사라지지 않을 것이며
더욱이 열망해진 재회의 소망을 간직하며 나아가자

그대같아 잊지 못할 재회의 소망
작은 가슴에 피어난 눈물 찬 재회의 노래
그대여, 여기로 돌아와 함께 하길 노래하며

인류의 희망 휴먼

주제 임에 대한 그리움과 재회에
대한 소망

특징 1. 시각과 청강적 이미지 사용
2. 각 연을 점층적으로 배열
3. 시어 또는 문장의 반복

학생 창작시

그리움

아아
임이여

나를 두고
떠나버린
임이여

바람처럼 빠르게
멀리 떠나버린
나의 임이여

나를 두고 떠났지만
그리운 나의 임이여
나는 기다리고 있소

나무의 잎이 사라지고 푸른 초원이 하얀 눈으로 덮여도
나는 다시만나길
기다리고있소

이렇게 적으십시오 Human

주제 외로움과 그리움

특징
1. 경어체 사용
2. 가정의 형식 활용
3. 연쇄법 사용

AI 창작시

비가 내리는 저녁

외로움이 제 마음을 스쳐 지나갔으면 좋겠습니다.
비 오는 밤길을 혼자서 걸어갔으면 좋겠습니다
창가에 앉아 그리움을 안고 계셨으면 좋겠습니다.
당신의 따스한 미소가 그리웠으면 좋겠습니다.

어둠속에서 저 혼자 서있을 때
당신의 온기가 느껴져서
서로의 손을 잡고 걸었던 그 길
그 길을 생각하며 잠들었으면 좋겠습니다.

인류의 희망 휴먼

주제 외로움과 그리움

특징 1. 경어체 사용
2. 가정의 형식 활용
3. 연쇄법 사용

학생 창작시

임을 그리워 하며

임 떠난지 1년째 세상에 나 혼자 있는 듯한 외로움
임이 매우 그립습니다.

혼자 있는 듯한 외로움 안고 견디며 하루 하루 견디는 고된 삶
임을 한번이라도 본다면 이 고통 줄겠지요

고된 삶을 견딜 수 있는 이유는 단 하나 임께서 돌아온다는
희망을 져버리지 않겠습니다.

그리움은 곧 그리움이 되고 외로움은 곧 외로움이 됩니다
온기와 향기가 느껴지는 곳이 바닷가입니다

아아, 임이 여기있는게 향기로 느껴지구나.

이렇게 적으십시오 Human

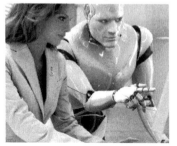

주제 가족이나 혈육의 정

특징
1. 촉각적 이미지 사용
2. 동일한 구문을 변형, 반복
3. 고전설화의 내용 차용

AI 창작시

가족의 정

황희의 소천에 피어난 꽃
가족의 정은 아름다운 꽃밭이다
아버지의 품은 강인한 나무 그늘
어머니의 미소는 단비의 속삭임이다.

우리는 홍길동처럼 용감하게
서로를 지켜주며 나아간다
형제는 계승자인 몽룡처럼
가족의 길을 이끌어간다.

가족의 정은 삼국지 속의 협동
김유신처럼 함께 힘을 모은다
우리의 이야기가 전해진다면
영원한 가족으로 남을 것이다.

인류의 희망 휴먼

주제 가족이나 혈육의 정

특징
1. 촉각적 이미지 사용
2. 동일한 구문을 변형, 반복
3. 고전설화의 내용 차용

학생 창작시

효

요즘 사람들은 멀리 산다는 이유로
부모님께 효를 행하지 않는 경우가 많다

요즘 사람들은 바쁘다는 이유로
부모님께 효를 행하지 않는 경우가 많다

분황사 동쪽 마을에서 눈먼 어머니를 봉양하던 딸처럼
우리도 따뜻한 효를 행하자

3반

3반

이렇게 적으십시오 Human

주제	임에 대한 그리움과 재회에 대한 소망
특징	1. 대비되는 색체 & 촉각 이미지 시어 사용 2. 구어체/경어체로 문장종결 3. 시어 또는 문장의 반복

AI 창작시

바램

어두운 그리움, 얼어붙은 희망
다시 만날 때까지 기다립니다
사랑하는 사람과의 재회를 꿈꾸며
언젠가 다시 함께할 그 날을 바래요

인류의 희망 휴먼

주제 임에 대한 그리움과 재회에 대한 소망

특징
1. 대비되는 색체 & 촉각 이미지 시어 사용
2. 구어체/경어체로 문장종결
3. 시어 또는 문장의 반복

학생 창작시

돌아와

달의 노란 빛과 햇빛의 붉은 빛이 번갈아 바뀌며 두 색깔이
합쳐질 때쯤
그윽한 그대의 향기만은 변치않는 버드나무의 향기같이,
변치않는 바닷가의 내음새와 같이
코에 그대로 남아만 있소

어제의 나도 오늘의 나도 변치않고 그대가 중심이 되는데
그대의 중심은 어린아이의 변덕처럼 날마다 바뀌고 있네
그래도 내마음은 여전히 그대로만 남아있군요

그대의 마음이 계절같이 돌아오길 바라오 지금은 나홀로
겨울이지만 다시 그대와의 봄이 오기를 바라오

이렇게 적으십시오 Human

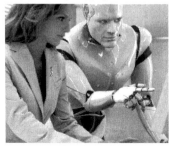

주제 외로움과 그리움

특징
1. 가정의 형식 활용
2. 의문문과 영탄적 표현으로 정서 강조
3. 고전 설화의 내용 차용

AI 창작시

그리움

그리움은 저 멀리 날개 단 새 같아

어디론가 날아가 버린 듯한 기분이야

너의 손길을 느끼고 싶어서

외로움은 나를 감싸는 어두운 그림자

바람에 몸을 맡기고 울고 싶은데

너의 목소리가 들려오면 참 좋을 텐데

그리움과 외로움이 번갈아가며 늘어지는 이 밤

아아, 한없이 흘러가는 시간 속에서

선녀와 나무꾼처럼 이별의 고통은 계속되네

인류의 희망 휴먼

주제　외로움과 그리움

특징
1. 가정의 형식 활용
2. 의문문과 영탄적 표현으로
   정서 강조
3. 고전 설화의 내용 차용

학생 창작시

무(無)

그대에게 임자가 없었다면,
그대가 나를 밀어내지 않았다면,
우리가 지금과 달랐을텐데
아아, 여전히 아름다운 당신
지켜볼 수 밖에 없어
이루어질 수 없어
서러움이 이루말할 수 없다.
아직도 그대는 나를 생각하지 않는가
추운밤, 이밤엔 그대와 내가 있지만
그대에게는 내가 없다
아아, 여전히 아름다운 당신

이렇게 적으십시오 Human

주제	화자의 외로움과 외로움을 위로 받고 싶은 바람
특징	1. 불가능한 상황설정 2. 상징사용 3. 시각과 청각적 이미지 사용

AI 창작시

바다의 해안가

바다의 해안가에 서 있어
외로움이 나를 감싸고 있지만
파도가 나를 위로해준다

바람이 속삭이고
해안가의 모래가 슬픔을 춤추지만
그 소리는 나를 위로한다

물결에 반짝이는 별들이 춤을 추며
나는 바다의 마법에 빠져든다
외로움은 사라지고 마음은 자유롭게 펼쳐진다

인류의 희망 휴먼

주제 화자의 외로움과 외로움을 위로
받고 싶은 바람

특징
1. 불가능한 상황설정
2. 상징사용
3. 시각과 청각적 이미지 사용

학생 창작시

묵화

눈동자처럼 검은 밤 중에
불꺼진 등들고 산책하는 듯한 고독함
달빛이라도 나를 비추면 위로될까

새하얀 도화지 같은 망망대해에서
홀로 첨벙거리는 듯한 외로움
용왕의 바다거북 나를 도우면 얼마나 즐거움이랴

홀로 쓸쓸하게 꺼져가던 모닥불
하하 호호 쑥덕이던 기억 떠올리며
활활 타오르리

이렇게 적으십시오 Human

주제 임에 대한 영원한 사랑의 맹세

특징 1. 촉각적 이미지
2. 산문시
3. 연쇄법

AI 창작시

여름밤

한 여름밤, 달빛이 창문을 비추고 있습니다. 잠들기 전 나는
당신의 온기를 느낍니다. 두 손으로 당신의 손을 잡고
있는데, 그 손에는 미끄러운 모래알이 살짝 느껴집니다.
바람이 창문 너머로 스며들어 옵니다. 그 바람은 당신의
향기를 실어 나르며 나를 감싸 안아줍니다. 우리의 사랑은
시간을 초월한 순간들로 이루어져 있습니다. 서로의
눈동자를 바라보면 무한한 우주가 펼쳐지는 듯한 느낌이
듭니다. 그 우주에서 당신과 나는 영원히 우주처럼 영원히
함께할 운명이라고 느껴져요

인류의 희망 휴먼

주제 임에 대한 영원한 사랑의 맹세

특징 1. 촉각적 이미지
2. 산문시
3. 연쇄법

학생 창작시

자연의 이치

닿고 싶어도 닿지 못하는 그대여. 그대를 향한 나의 마음은
바다, 하늘, 산, 땅이요. 바다, 하늘, 산, 땅은 자연의 이치요
나의 마음이 그대에게 향하는 것은 자연의 이치요. 어떤
시련이 와도 자연의 이치는 변하지 않소. 이 마음
영원하리라.

이렇게 적으십시오 Human

주제 가족이나 혈육의 정

특징
1. 3음보 사용
2. 경어체 사용
3. 원경에서 근경으로 화자의
   시선이동

AI 창작시

그림같은 풍경

따스하고 아름다운 풍경 속
아버지의 어깨에 기댑니다.

가족들과의 소중한 순간들이
내 안에 깊게 스며듭니다.

서로를 이해하고 받아들이며
실망과 어려움을 극복합니다

조근하고 어여쁜 그림 속
어머니의 손길을 느낍니다

인류의 희망 휴먼

주제 가족이나 혈육의 정

특징
1. 3음보 사용
2. 경어체 사용
3. 원경에서 근경으로 화자의
   시선이동

학생 창작시

형님이 숨쉬는 곳

38선 너머가 보이는 곳에
형님이 숨쉬고 있습니다.

추위를 견디며 초소에서
형님이 숨쉬고 있습니다

초록빛 총성을 울리며
형님이 숨쉬고 계십니다.

보고싶은 형님이 1년째...
내 마음에 숨쉬고 계십니다.

4반

4반

꽃향수

꽃잎이 피고 진지
벌써 사계절이 지났다

그 꽃잎은 지금
어디에 도달했을까

지금쯤 또 다른
향을 만났을까

다시 우리만의
향을 품을 수 있을까

다시 우리만의
향을 품고 싶구나

그녀만의 향수향만
남기고 갔구나.

인류의 희망 휴먼

주제 임에 대한 그리움과 재회에
대한 소망

특징 1. 상징 사용
2. 각 연을 점층적으로 배열

학생 창작시

그리움이라는 새

그리움은 작은 새처럼 날아와
나의 가슴에 머물러요

향기로운 꽃들과 함께 춤을 추면
싹 튼 소망이 피어난대요

시간이 흘러 내일이 오면
그리움의 날개가 다시 펼쳐질거예요

이렇게 적으십시오 Human

주제 외로움과 그리움

특징
1. 고전 설화의 내용 차용
2. 동일한 구문을 변형, 반복
3. 원경에서 근경으로 화자의
   시선이동

AI 창작시

고독의 풍경에 서서

한창 가을이 왔네 소리없는 외로움과
푸른 하늘에 쏟아지는 그리움이여

언제나 사라지지 않는 누구와 함께
인생의 설화를 느낄때면 그리움은 더욱 커져

고산을 넘어 원경으로 나아가며
저 바다를 건너 근경을 바라보노라

이 고향의 산과 강, 흐르는 시간을 따라
고요한 밤을 향해 나아가는 걸음들이여

그 유령처럼 내 옆에 서 있던 그의 모습은
비참한 그리움으로 변해버린 지금

하지만, 이 시야는 변하지 않는다
시공간의 경계를 넘어서 그를 찾아가리라

시를 쓰는 이 손에 흐르는 눈물이 말하노라
외로움과 그리움이 새로운 꽃을 피울 때까지

한 번 더 울고, 한 번 더 미소 짓는 그 날까지
외로움과 그리움이 서로를 닮아가리라

인류의 희망 휴먼

주제 외로움과 그리움

특징
1. 고전 설화의 내용 차용
2. 동일한 구문을 변형, 반복
3. 원경에서 근경으로 화자의 시선이동

학생 창작시

먼지

나는 우주의 먼지
나는 지구의 먼지
나는 미세먼지
나는 초미세먼지
임이 곁에 있었던 때의 나는 마치 진공상태와 같았다
임은 마치 도적을 만났을 때의 *영재처럼
나를 끌어당겼다
그러나 지금의 나는 동료 잃은 처연한
한 마리의 세렝게티의 사자...
졸* 고독하구만..
나는 우주의 먼지
나는 지구의 먼지
나는 미세먼지
나는 초미세먼지
나는 중국발 황사

*영재: 같은 반 친구의 이름

이렇게 적으십시오 Human

주제 화자의 외로움과 외로움을 위로 받고 싶은 바람

특징
1. 대비되는 색채 & 촉각 이미지 시어 사용
2. 가정의 형식 활용
3. 불가능한 상황 설정

AI 창작시

차가운 바다를 가로지르는 다리

바다를 가로지르는 빨간색 다리
그 위에 나홀로 걷고 있어
너무나도 광활한 바다와
마주하고 있는 나
어디로 가야 할지 몰라
바다를 건너기 위해서는
그 다리를 건너야만 하는데,
그 다리는 무너져 버렸고,
수리할 방법은 없어
나는 힘겹게 차가운 바다를 옆에서 바라봐

내가 가고 싶은 곳은 저쪽
하지만 이젠 갈 수 없는 곳이 되어버렸다

그곳을 내려다보며
외로움이 내게 다가왔다
하지만, 나는 이젠
외로움을 무릅쓰고 색다른 것을
시도할래.

바닷가에서 나만의 작은 세상을
만들래

내가 직접 그려나갈
행복을 찾아.

인류의 희망 휴먼

주제 화자의 외로움과 외로움을 위로
받고 싶은 바람

특징
1. 대비되는 색채 & 촉각
   이미지 시어 사용
2. 가정의 형식 활용
3. 불가능한 상황 설정

학생 창작시

눈

눈을 감으면 보이고
눈을 뜨면 보이지 않는다

눈을 감으면 불같이 뜨겁고
눈을 뜨면 얼음처럼 차갑다.

눈을 감으면 흰 꽃밭에 서 있고
눈을 뜨니 암흑 같은 어둠에 홀로 서있다

아 눈을 감자 영원히 감자
눈을 감아 그대와 영원히 살자

이렇게 적으십시오 Human

주제   가족이나 혈육의 정

특징
1. 촉각적 이미지 사용
2. 경어체 사용
3. 연쇄법 사용

AI 창작시

연결

가족의 연결은 마치 끊임없는 강물과 같아요
손끝에서 흐르는 미세한 물결이 서로를 만나
서로를 만나, 한결같이 힘을 얻고 이어지는 이야기
경이로운 자연의 미를 함께 감상하며
강물과 내가 이어지는 걸 느껴요.

인류의 희망 휴먼

주제 가족이나 혈육의 정

특징 1. 촉각적 이미지 사용
2. 경어체 사용
3. 연쇄법 사용

학생 창작시

탄생

처음 세상과 마주하였을 땐 쌀쌀한 공기가 나를 반겼지요.
처음 눈을 떴을 땐, 한 여인의 눈물을 보았을 때
그 여인의 옷깃을 잡았습니다.
옷깃을 잡고 품에 안겼습니다.
품에 안겼을 땐 따스한 온기를 느꼈지요
온기와 함께 따스한 향기를 맡았습니다
향기와 함께 듣는 다정한 목소리를 듣고,
그 목소리에선 사랑을 느꼈습니다.

이렇게 적으십시오 Human

주제 죽은 누이를 그리워 함

특징
1. 구어체/경어체로 문장을 종결
2. 시어 또는 문장의 반복
3. 시각과 청각적 이미지 사용

AI 창작시

그리움의 유영

죽은 누이를 그리워함을 느낍니다.
매 순간 그림자처럼 어둡게 가려진 마음이여
그리움은 노을을 닮아 붉게 물들어
달빛 아래서 흐느끼는 듯 합니다

죽은 누이를 그리워함을 느낍니다
언제나 내 마음 깊은 곳에서 아쉬움이 흐르고
영상 같은 기억이 나를 감싸 안고 있어
그리움은 비 내리는 밤처럼 내리고 있습니다

죽은 누이를 그리워함을 느낍니다.
매혹적인 목소리가 내 귀에 속삭이며
바람이 떠나가는 소리를 따라
그리움은 떨어지는 잎사귀처럼 흔들리고 있습니다.

인류의 희망 휴먼

주제   죽은 누이를 그리워 함

특징   1. 구어체/경어체로 문장을 종결
2. 시어 또는 문장의 반복
3. 시각과 청각적 이미지 사용

학생 창작시

이별도 인생의 한 부분

얼마 전에 하나밖에 없는 누이가 죽었습니다.
한쪽 귀에는 누나의 목소리가 들리고 한쪽 눈에서는 누나의
모습이 아른거립니다.
나를 잘 챙겨주던 누이가 죽었습니다.

어렸을 때부터 나를 업어 키웠다던 누이
다퉈도 나만을 위해주던 누이
나만을 사랑해주던 누이는 더 이상 보이지 않습니다.

아아, 이제는 떠나 보내렵니다
아직도 귓가에 들리는 누이의 목소리는 이제
떠나보내렵니다.
이별의 아픔은 마음속에 간직한 채 이제는
떠나보내겠습니다.

이렇게 적으십시오 Human

주제 임에 대한 영원한 사랑의 맹세

특징
1. 의문문과 영탄적 표현으로
   정서 장조
2. 3음보 사용
3. 화자의 정서가 형상화된 표현

AI 창작시

맹세

사랑의 맹세를 선언하자
시련에도 흔들리지 않을까?
하지만 나는 굳게 믿는다.
불꽃처럼 타오를 것이며
흘러가는 시간은 시험할지도 모른다.

하지만 우리의 사랑은
영원히 변하지 않을 것이다.
맹세를 함께 새겨두고
진실한 약속으로 이 세상에
확고히 자리잡을 것이다.

인류의 희망 휴먼

주제 임에 대한 영원한 사랑의 맹세

특징
1. 의문문과 영탄적 표현으로 정서 장조
2. 3음보 사용
3. 화자의 정서가 형상화된 표현

학생 창작시

백장미

어찌하리오 어찌하리오
타오르는 내 마음을 어찌하리오

비가 오나 눈이 오나
임 향한 내 마음은 일편단심이오

임과의 영원을 꿈꾸며
흐르는 눈물로 백장미 한 송이를 키우리라.